G000149605

Pour Adèle, la sauterelle de Calais

Gallimard Jeunesse / Giboulées sous la direction de Colline Faure-Poirée

ISBN : 2-07-059450-5
Premier dépôt légal : novembre 1996
Dépôt légal : novembre 2003
Numéro d'édition : 128142
Loi n° 49956 du 16 juillet 1949
sur les publications destinées à la jeunesse
Imprimé en France par ***Partenaires-Livres®*** (jl)

Adèle la Sauterelle

Antoon Krings

GALLIMARD JEUNESSE / GiBOULÉES

De tous les habitants du jardin, Adèle la sauterelle était, disait-on, celle qui avait le moins de cervelle. Fort heureusement, si parfois elle faisait les choses à l'envers, personne ne lui en voulait vraiment, car Adèle avait bon cœur et elle était toujours prête à rendre service.

Mais un jour, alors qu'Adèle sautait dans les herbes comme à son habitude, elle rencontra Léon qui tenait dans chacune de ses mains une lettre.
– Tu tombes à pic ! s'écria le bourdon. C'est justement toi que je cherchais pour porter une lettre à la Reine des abeilles et une autre à Mireille. Allez, saute, saute, sauterelle, et ne traîne pas en route.

Adèle fut tellement transportée à
l'idée d'être utile qu'elle sauta de joie
avant de disparaître dans les herbes.
Mais à peine avait-elle parcouru la
moitié du chemin qu'elle voulut
savoir ce que Léon avait écrit.

À l'abri des regards, elle ouvrit
délicatement les lettres et les lut en
vitesse mais de peur d'être surprise,
les remit en toute hâte chacune dans
leur enveloppe.
Or, elle se trompa : le mot pour
la Reine était désormais adressé à
Mireille, et celui pour Mireille,
à la Reine.

Elle arriva devant la maison de Mireille et glissa sous sa porte la lettre qui portait son adresse. Ensuite, elle prit la direction de la ruche où vivait la Reine des abeilles. C'était une antique demeure en cire qui ne se visitait pas facilement.

– Qui va là ? crièrent les gardes en
croisant leurs hallebardes tranchantes.
– C'est une lettre pour la Reine, dit
timidement Adèle en agitant la main.
– Une lettre pour la Reine, répétèrent
les gardes.
Une abeille s'en empara pour la
remettre à une autre qui la remit à
une suivante et la lettre arriva ainsi
jusqu'aux appartements royaux.

Quand la Reine ouvrit son courrier, elle devint rouge, toute cramoisie de colère et se mit à crier aussi fort qu'une abeille puisse le faire. Il faut dire que ce qu'elle venait de lire n'était pas tendre : « Gros insecte à rayures, bourdonneuse sans cœur, si je te reprends à voler le pollen de mes fleurs, je t'arrache les ailes. » Signé Léon.

Pendant ce temps, Mireille trouvait
sur le pas de sa porte le mot de
Léon.
– Ma parole, ce bourdon est tombé
sur la tête ! Écoutez un peu, les amis :
Ma petite Reine adorée,
tu fais du miel si parfumé,
que les roses sont sans voix,
et mon cœur bat pour toi.
Et tous de ricaner bêtement. « Il est
amoureux, il est amoureux ! »

Comme vous pouvez l'imaginer, la
Reine des abeilles, dont la colère était
toujours aussi grande, ordonna à ses
soldats d'attraper ce vilain bourdon.
– Au secours ! À l'aide ! s'écria le
pauvre Léon en se débattant.

Alors Adèle comprit quelle stupide
sauterelle elle avait été et elle courut
chez Mireille qui était la seule à
pouvoir sortir Léon de ce mauvais pas.
– Ma foi, dit Mireille, je ne vois
qu'une seule chose à faire : rendre
à la Reine ce qui appartient à la
Reine, seulement, n'oublie pas
de me rapporter MA lettre.
– C'est promis, dit la sauterelle
avant de disparaître.

Courageusement, Adèle retourna chez la Reine des abeilles pour lui remettre la bonne lettre et lui expliquer son erreur. À la lecture de ces mots doux, la colère de la reine se dissipa peu à peu, et Léon trouva de nouveau grâce à ses yeux.

Quant à l'autre lettre, ou tout
du moins ce qu'il en restait, Adèle
préféra la garder et ne pas la donner à
Mireille, de peur que cela fasse encore
des histoires. Je crois que pour une
fois, elle faisait bien de ne pas le faire.